C000001742

CBAC
WJEC

Cyhoeddwyd gan CBAC
Cyd-bwyllgor Addysg Cymru
Published by the WJEC
Welsh Joint Education Committee

Yr Uned Iaith Genedlaethol,
CBAC, 245 Rhodfa'r Gorllewin,
CAERDYDD CF5 2YX
The National Language Unit,
WJEC, 245 Western Avenue,
CARDIFF CF5 2YX

Argraffwyd gan HSW Print
Printed by HSW Print

Argraffiad cyntaf: 2006
First impression: 2006

ISBN 1 86085 533 4

Noddir gan
Lywodraeth
Cynulliad Cymru
Sponsored by
Welsh Assembly
Government

Cydnab..... Acknowledgements

Awduron: *Authors:*	Mark Stonelake, Emyr Davies
Golygydd: *Editor:*	Glenys Mair Roberts
Dylunydd: *Designer:*	Olwen Fowler
Rheolwr y Project: *Project Manager:*	Emyr Davies

Tynnwyd y ffotograffau gan Mark Johnson,
Pinegate Photography.
Mae'r darluniau gwreiddiol gan Brett Breckon.
Photographs were taken by Mark Johnson, Pinegate Photography.
Original illustrations are by Brett Breckon.

Mae'r cyhoeddwyr yn ddiolchgar i'r canlynol
am ganiatâd i ddefnyddio ffotograffau:
The publishers are grateful to the following for
permission to use photographs:
Cyngor Sir Penfro, Gwasanaethau Twristiaeth a Hamdden:
Ffotograff y clawr (Dinbych-y-pysgod)
Pembrokeshire Council, Tourism and Leisure Services:
Cover photograph (Tenby)
Western Mail Cyf.: t.7, t.45
Topham Picturepoint: t.8
BBC Cymru: t.23
Bwrdd Croeso Cymru: t.51

Dymuna'r cyhoeddwyr ddiolch i Wasg Gomer am
ganiatâd i ddefnyddio darn o *Bywyd Blodwen Jones*
gan Bethan Gwanas (tt.9-10); hefyd i'r *Cymro* am
ganiatâd i ddefnyddio darnau (t.19, t.28, t.55).
The publishers would like to thank Gwasg Gomer for
permission to use an extract from Bywyd Blodwen Jones
by Bethan Gwanas (pp.9-10); also Y Cymro *for permission*
to use extracts (p.19, p.28, p.55).

Nodyn / *Note*

Mae hwn yn gwrs newydd sbon, felly croesewir
sylwadau gan ddefnyddwyr, yn diwtoriaid ac yn
ddysgwyr. Anfonwch eich sylwadau drwy e-bost
at: lowri.morgan@cbac.co.uk, neu drwy'r post at:
Lowri Morgan, Yr Uned Iaith Genedlaethol, CBAC,
245 Rhodfa'r Gorllewin, CAERDYDD, CF5 2YX.

This is a brand new course, so we would welcome any
comments from users, whether tutors or learners. Send your
comments by e-mail to: lowri.morgan@cbac.co.uk, or by
post to: Lowri Morgan, The National Language Unit,
WJEC, 245 Western Avenue, CARDIFF, CF5 2YX.

Cyflwyniad
Introduction

Cwrs Sylfaen is the second of three course books that will help you to speak and understand Welsh. There are different versions for learners living in north and south Wales. They have been designed for groups of learners who meet in classes once a week, or on more intensive courses.

Cwrs Sylfaen is made up of 30 units to be used in class with your tutor, including a revision unit every five units. This *Pecyn Ymarfer* (Practice Pack) corresponds to the units in the course book (not the appendices). The pack is designed to help you revise what you've learnt in class, through various tasks and exercises. Although these involve writing, the main focus in the course is on speaking and understanding Welsh. You should try to complete the work-sheet for each unit as you progress and hand it in to your tutor to be marked.

Does dim rhaid i chi wneud y gwaith cartre i ddod i'r dosbarth! Ond, mae'r tasgau yma'n help i gofio ac adolygu pethau.

Pob lwc!

Pecyn Ymarfer Cwrs Sylfaen: Uned 1

Ymarfer 1

Llenwch y bylchau yn y cwestiynau yma:

Fill in the gaps in these questions:

1. _____Beth_____ ydy'ch enw chi?

2. _____Ble_____ dach chi'n byw?

3. Be' ydy'ch rhif _____ffôn_____ chi?

4. Dach _____chi'n_____ gweithio?

5. Oes _____gynnoch_____ chi deulu?

6. Lle _____aethoch_____ chi ar eich gwyliau diwetha? *holiday*

7. _____Sut_____ oedd y tywydd?

8. _____Gaethoch_____ chi amser da?

Ymarfer 2

Ysgrifennwch y cwestiynau fasai'n addas i'r atebion yma:

Write the questions which would fit these answers:

come how? come dyfod: come   ?originally

1. _____ Dw i'n dŵad o Abertawe yn wreiddiol.

2. _____Beth_____ 01778 3709401

3. _____ Mi es i i Barbados y llynedd.

4. ___Ydych'n gweithio?___ Ydw, dw i'n gweithio mewn banc.

5. ___Y_____ Oes, mae gen i ddau fab.

6. _____ Dw i'n hoffi gweithio yn yr ardd.

Ymarfer 3

Ysgrifennwch 5 brawddeg am y bobl yma:
Write five sentences about these people:

Iolo

Gweithio:	swyddfa
Teulu:	3 merch
Gwyliau:	Iwerddon
Diddordebau:	mynd â'r ci am dro
Yn wreiddiol:	Llandudno

_____

_____

_____

_____

_____

Carol

Byw:	Cemaes
Gwyliau:	Sweden
Tywydd:	oer iawn
Teulu:	1 mab
Gweithio:	fel meddyg

_____

_____

_____

_____

_____

Ymarfer 4

Atebwch y cwestiynau yma amdanoch chi eich hunan:
Answer these questions about yourself:

1. Be' ydy'ch enw chi? _____

2. Lle dach chi'n byw? _____

3. Dach chi'n gweithio? _____

4. Oes gynnoch chi deulu? _____

5. Faint ydy'ch oed chi? _____

6. Lle aethoch chi ar eich gwyliau diwetha? _____

7. Be' gaethoch chi i swper neithiwr? _____

8. Be' dach chi'n hoffi wneud yn eich amser sbâr? _____

9. O le dach chi'n dŵad yn wreiddiol? _____

Pecyn Ymarfer Cwrs Sylfaen: Uned 2

Ymarfer 1

Rhowch 'fy' o flaen y geiriau yma:

Put 'fy' (my) in front of these words:

1. car _____

2. tŷ _____

3. pen _____

4. brawd _____

5. dannedd _____

6. gwallt _____

Ymarfer 2

Rhowch 'dy' o flaen y geiriau yma:

Put 'dy' (your) in front of these words:

1. pwrs _____

2. trên _____

3. ci _____

4. bwyd _____

5. gwaith _____

6. dosbarth _____

7. llaw _____

8. rhaglen _____

Ymarfer 3

Cyfieithwch y brawddegau yma:

Translate these sentences:

1. His car is a Toyota. _____

2. Her dog is a Labrador. _____

3. His wife's name is Lily. _____

4. The name of her house is Cartref. _____

5. His father is a driver. _____

6. Her partner is John. _____

Ymarfer 4

Ysgrifennwch 5 brawddeg am eich diwrnod gwaith:
Write 5 sentences about your work day:

_____

_____

_____

_____

_____

Ymarfer 5

Cyfieithwch y brawddegau yma:
Translate these sentences:

1. He works in a hospital.

_____

2. He works in Bronglais hospital.

_____

3. She works in a bank.

_____

4. She works in Lloyds bank.

_____

5. He lives in a house.

_____

6. He lives in my house!

_____

Pecyn Ymarfer Cwrs Sylfaen: Uned 3

Ymarfer 1

Atebwch y cwestiynau yma gan ysgrifennu Do / Naddo a brawddeg:
Answer these questions, by writing Do / Naddo *and a sentence:*

1. Est ti adre am saith o'r gloch?   _____

2. Gest ti fwyd yn y dafarn?   _____

3. Ddest ti adre ar y bws?   _____

4. Wnest ti'r gwaith cartre i gyd?   _____

5. Est ti i'r gwaith y bore 'ma?   _____

Rŵan newidiwch ddechrau'r cwestiynau, gan ddefnyddio 'chi', e.e. Ddaethoch chi...?
Now, change the beginning of the questions to use 'chi', e.g. Ddaethoch chi...?

Ymarfer 2

**Dewiswch un blwch ym mhob colofn i ddisgrifio
(a) be' wnaeth Dewi ddoe, a (b) be' wnaeth Carol ddoe.**
*Choose one square in each column to describe
(a) what Dewi did yesterday, and (b) what Carol did yesterday.*

Codi	Mynd i	Cael	Dŵad adref	Gwneud
7.00	i'r dre	brechdanau	ar y bws	gwaith cartref
7.20	i'r gwaith	coffi	mewn tacsi	y llestri

e.e. Mi wnaeth Dewi godi am .....   Mi aeth Carol i'r .....

Dewi   Carol

1. _____   **1.** _____

2. _____   **2.** _____

3. _____   **3.** _____

4. _____   **4.** _____

5. _____   **5.** _____

Ymarfer 3

Cyfieithwch y brawddegau a'r ymadroddion yma:

Translate these sentences and phrases:

1.   After I go

_____

2.   After I went

_____

3.   After they go

_____

4.   Before you (chi) go

_____

5.   Before John left

_____

6.   I had to sleep

_____

7.   She will have to go

_____

8.   They have to come home

_____

Ymarfer 4

Ysgrifennu yn y gorffennol. Ysgrifennwch 6 brawddeg i ddisgrifio be' wnaethoch chi ddoe. Rhaid i chi gynnwys y geiriau mewn cromfachau.

Writing in the past. Write 6 sentences to describe what you did yesterday. You must include the words in brackets.

1.   (Ges)   _____

2.   (braf)   _____

3.   (rhaid)   _____

4.   (ar ôl)   _____

5.   (adre)   _____

6.   (am)   _____

Pecyn Ymarfer Cwrs Sylfaen: Uned 4

Ymarfer 1

Atebwch y cwestiynau yma:

1. Wyt ti wedi bod yn America? *(Say yes, you've been to New Orleans)*

_____

2. Wyt ti wedi cyfarfod rhywun enwog erioed? *(Say yes, you've met Tom Jones)*

_____

3. Wyt ti wedi darllen llyfr Cymraeg? *(Say no, you've never read one)*

_____

4. Ydy John wedi bod yn Iwerddon? *(Say yes, he's been to Waterford)*

_____

5. Ydy'r plant wedi gweld ffilm yn y sinema? *(Say yes, they've seen Harry Potter)*

_____

Ymarfer 2

Cyfieithwch y parau brawddegau yma:
Translate these pairs of sentences:

1a. I have met Charlotte.

1b. I met Charlotte yesterday.

2a. I have eaten snails. *(malwod)*

2b. I ate snails last week.

3a. He went to the class last night.

3b. He has gone to the class.

4a. They did the homework.

4b. They have done the homework.

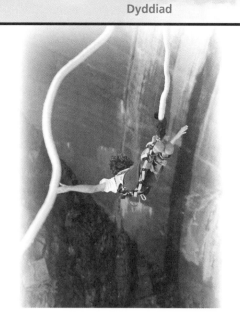

Ymarfer 3

Llenwch y bylchau yn y brawddegau yma, gan ddefnyddio'r geiriau mewn cromfachau fel sbardun:

Fill in the gaps in these sentences, using the words in brackets as a prompt:

1. Wyt ti wedi bod yn Affrica _____ ?

2. Dw i _____ ddŵad nôl o Moroco.

3. _____ ni wedi symud ers blynyddoedd.

4. Wyt ti wedi bod ym Mhorth-cawl? _____ (✓)

5. Dw i'n gweithio yma ers dwy _____ (blwyddyn)

6. Mae o'n _____ o le!

Ymarfer 4

Ysgrifennwch ddau beth diddorol dach chi wedi eu gwneud a dau beth dach chi ddim wedi eu gwneud erioed.

Note two interesting things you have done and two things you have never done.

1. _____

2. _____

3. _____

4. _____

Pecyn Ymarfer Cwrs Sylfaen: Uned 5

Darllenwch y darn ac atebwch y cwestiynau sy'n dilyn.
Peidiwch â phoeni os dach chi ddim yn medru deall pob gair - dyfalwch!

Read the passage and answer the questions which follow.
Don't worry if you can't understand every word - guess!

Bywyd Blodwen Jones

Addasiad o Nofel i Ddysgwyr gan Bethan Gwanas, Nofelau Nawr, Gwasg Gomer.

Chwefror 9fed Nos Fercher
Diwrnod cyntaf dyddiadur Cymraeg Blodwen Jones.

Mae'r tiwtor Cymraeg, Llew (hyfryd, hyfryd) Morgan wedi gofyn i bawb gadw dyddiadur. Felly dyma fi, a dyma fo. Mi wnaeth Llew ddweud fod o'n syniad da. Dw i'n cytuno. Bydd cadw dyddiadur yn gwella fy iaith i, ac yn gwneud i mi feddwl yn Gymraeg. Gobeithio.

Iawn, felly helô Ddyddiadur!
Ym . . . dw i ddim yn siŵr iawn be' i ysgrifennu rŵan.
Be' am gyflwyno fy hun?

Enw:	Blodwen Jones
Oed:	38
Taldra:	5' 9"
Pwysau:	Preifat!
Cyfeiriad:	Rose Cottage - ond dw i'n mynd i newid yr enw i 'Y Bwthyn'
	Rachub
	Ger Bethesda
	Gwynedd
Gwaith:	Llyfrgellydd
Diddordebau:	Llyfrau (wrth gwrs), teithio, Llew Morgan.
Dymuniadau ar gyfer eleni:	Dysgu Cymraeg yn iawn
	Tyfu fy llysiau fy hun
	Newid fy swydd i
	Bachu (dw i'n hoffi'r gair yna!) Llew Morgan.

Dw i newydd feddwl - gobeithio na fydd Llew isio darllen y dyddiaduron . . .

Iawn, be' wnaeth ddigwydd heddiw? Dim llawer. Mi wnes i godi i am 8.00 fel arfer, mi wnes i roi bwyd i'r gath ac mi ges i frecwast. Ond roedd y llefrith *off*. Dw i newydd chwilio yn y geiriadur - 'wedi troi' ydy'r term cywir. Ond roedd y llefrith wedi troi, felly roedd y te fel cawl efo *croûtons* caws. Ych a fi! Felly mi wnes i fwyta fy *Weetabix* yn sych. Doedd dim post.

Mi es i i'r gwaith yn y Llyfrgell erbyn 9.00. Roedd llawer o bost yno ond dim byd diddorol. Mi ges i frechdan gaws a phicl i ginio.

Mi wnes i drio ffonio dyn sy'n cadw geifr, ond ges i ddim ateb. O, mae'n ddrwg gen i, rhaid i mi esbonio: dw i isio prynu gafr. Pam? Pam ddim? Dw i isio medru byw yn dda fel Felicity Kendal yn *The Good Life*.

Geirfa

dyddiadur	-	*diary*
cytuno	-	*to agree*
cyflwyno	-	*to present, to introduce*
pwysau	-	*weight*
llyfrgellydd	-	*librarian*
dymuniadau	-	*wishes*
llysiau	-	*vegetables*
ar gyfer	-	*for*
eleni	-	*this year*
bachu	-	*to hook*
cywir	-	*correct*
gafr/geifr	-	*goat/s*

Cwestiynau

1. Pam bydd cadw dyddiadur yn syniad da?

_____

2. Be' mae Blodwen yn feddwl o'r tiwtor?

_____

3. Lle mae hi'n gweithio?

_____

4. Faint ydy ei hoed hi? (mewn geiriau)

_____

5. Enwch ddau o'i dymuniadau hi ar gyfer eleni.

_____

6. Pryd wnaeth Blodwen godi?

_____

7. Pam wnaeth hi fwyta'r *Weetabix* yn sych?

_____

8. Be' oedd yn y post gartref?

_____

9. Be' gaeth Blodwen i ginio?

_____

10. Pam mae hi isio prynu gafr a thyfu llysiau?

_____

Pecyn Ymarfer - Cwrs Sylfaen: Uned 5

Pecyn Ymarfer Cwrs Sylfaen: Uned

Ymarfer 1

Llenwch y bylchau yn y brawddegau yma:

Fill in the gaps in these sentences:

1. Mae rhywbeth yn bod _____ fo.

2. Mae rhywbeth yn bod _____ hi.

3. Does 'na ddim byd yn bod _____ nhw.

4. Does 'na ddim byd yn bod _____ ni.

5. Be' sy'n bod _____ ti?

6. Oes rhywbeth yn bod _____ Jimmy?

Ymarfer 2

Meddyliwch am ymatebion priodol i'r brawddegau yma, gan ddefnyddio 'hen bryd'.

Think of appropriate responses to these sentences, using 'hen bryd'.

e.g.   Mae Gemma wedi meddwi.   Mae'n hen bryd iddi hi fynd adre.

1. Dw i isio bwyd, rŵan!

   _____

2. Mae'r plant wedi gweithio'n galed ers amser.

   _____

3. Mae Siân yn sâl ers wythnosau.

   _____

4. Mae Gwyndaf yn gyrru'n rhy gyflym.

   _____

5. Dw i ddim yn deall y tiwtor.

   _____

Ymarfer 3

Ysgrifennwch ddeialog rhwng cwsmer mewn tŷ bwyta a'r gweinydd. Mae'r cwsmer yn cwyno am rywbeth. Defnyddiwch y geiriau yma: rhy / hen bryd / medru / oer.

Write a dialogue between someone in a restaurant and the waiter. The customer is complaining about something. Include these words: rhy / hen bryd / medru / oer.

Cwsmer: _____

Gweinydd: _____

Cwsmer: _____

Gweinydd: _____

Cwsmer: _____

Gweinydd: _____

Cwsmer: _____

Gweinydd: _____

Cwsmer: _____

Gweinydd: _____

Ymarfer 4

Cyfieithwch y brawddegau yma:

Translate these sentences:

1. It's your fault.

_____

2. I can't do it.

_____

3. It's too difficult.

_____

4. It's high time they went somewhere.

_____

5. What's the matter with you?

_____

6. There's nothing wrong with us.

_____

7. Something's the matter with her.

_____

8. I don't feel too well.

_____

Pecyn Ymarfer – Cwrs Sylfaen: Uned 6

Pecyn Ymarfer Cwrs Sylfaen: Uned 7

Ymarfer 1

Ysgrifennwch 'Dw i'n meddwl...' ar ddechrau'r brawddegau yma, e.e.
Write 'Dw i'n meddwl...' at the beginning of these sentences, e.g.

Mae Bryn yn iawn   =   Dw i'n meddwl bod Bryn yn iawn

1. Mae John yn mynd. _____

2. Mae'r dosbarth i gyd yn dŵad. _____

3. Mae hi'n cyrraedd am saith. _____

4. Mae'r ffilm yn wych. _____

5. Mae gynnyn nhw broblem. _____

6. Mae Siân wedi cael swper. _____

Ymarfer 2

Ysgrifennwch 'Dw i'n meddwl...' ar ddechrau'r brawddegau yma:
Write 'Dw i'n meddwl...' at the beginning of these sentences:

1. Dw i'n medru mynd. _____

2. Dach chi'n gwybod yr ateb. _____

3. Mae hi'n well. _____

4. Maen nhw'n cyrraedd am dri. _____

5. Mae o'n deall y broblem. _____

6. Dw i'n gwybod. _____

Ymarfer 3

Cyfieithwch y brawddegau yma:

Translate these sentences:

1. I think that the children are ready.

_____

2. I'm sure he's right.

_____

3. I thought it was excellent.

_____

4. John said you were good.

_____

5. What do you think of the programme?

_____

6. I hope he's gone.

_____

7. Perhaps you're right.

_____

8. Don't listen to him.

_____

 Ymarfer 4

Ysgrifennwch 3 brawddeg yn mynegi eich barn am y canlynol:

Write 3 sentences expressing your opinion about the following:

George W. Bush

1. _____

2. _____

3. _____

Llundain

1. _____

2. _____

3. _____

Pecyn Ymarfer Cwrs Sylfaen: Uned 8

Ymarfer 1

Atebwch 'Yes' neu 'No':
Answer 'Yes' or 'No':

1. Oeddet ti'n hoffi'r llyfr? _____

2. Oedd hi'n byw drws nesaf? _____

3. Oedd o'n ddyn neis? _____

4. Oeddech chi'n nabod Ffred? _____

5. Oedd y gêm yn dda? _____

6. Oeddet ti'n blentyn drwg? _____

Ymarfer 2

Ysgrifennwch dri pheth roeddech chi'n hoffi a thri pheth doeddech chi ddim yn hoffi pan oeddech chi'n ifanc.
Write three things you did like and three things you didn't like when you were young.

e.e. Ro'n i'n hoffi chwarae tennis, ond do'n i ddim yn hoffi chwarae hoci.

1. _____

2. _____

3. _____

Gwnewch yr un peth ar gyfer eich gŵr / gwraig / partner / tiwtor:
Do the same for your husband / wife / partner / tutor:

1. _____

2. _____

3. _____

Ymarfer 3

Cyfieithwch y brawddegau yma:

Translate these sentences:

1. I used to work in an office.

_____

2. I used to know Tom Jones.

_____

3. What did you use to do?

_____

4. I used to live next door to her.

_____

5. He had long hair.

_____

6. Was he tall?

_____

7. When I was young, I used to wear flares.

_____

8. He was in the same class as me.

_____

Ymarfer 4

Ysgrifennwch tua 30 o eiriau yn disgrifio ymweliad â Llundain y penwythnos diwetha. Defnyddiwch be' dach chi'n medru ddweud, nid be' dach chi isio ddweud!

Write around 30 words describing a visit to London last weekend.
Use what you can say, not what you want to say!

_____

_____

_____

_____

_____

_____

_____

Pecyn Ymarfer – Cwrs Sylfaen: Uned 8

Pecyn Ymarfer
Cwrs Sylfaen:
Uned

9

 Ymarfer 1

Dwedwch fod yn well gynnoch chi'r cynta na'r ail:

Say that you prefer the first to the second:

 1. _____

 2. _____

 3. _____

 4. _____

5. _____

 Ymarfer 2

Cyfieithwch:

Translate:

1. Tea and coffee _____

2. Coffee or tea _____

3. Rice or pasta _____

4. Rice and pasta _____

5. Cat and dog _____

6. Dog or cat _____

7. I prefer listening to the radio to watching television

_____

8. I prefer coffee to tea

_____

Ymarfer 3

Llenwch y bylchau yn y brawddegau yma:

Fill in the gaps in these sentences:

1.   Mae'n well gen i ddarllen _____ mynd am dro.

2.   Mae'n gas _____ i smwddio.

3.   Fy nghas _____ i ydy edrych ar operâu sebon.

4.   Be' ydy'ch _____ beth chi?

5.   Fy hoff _____ i ydy *spaghetti*.

6.   Fy hoff _____ i ydy Coronation Street.

7.   Fy hoff _____ i ydy gwin coch.

8.   Pa _____ o fwyd dach chi'n hoffi?

Ymarfer 4

Atebwch y cwestiynau yma:

1.   Be' ydy'ch hoff le chi? Pam?

_____

_____

2.   Be' ydy'ch hoff siop chi? Pam?

_____

_____

3.   Be' ydy'ch hoff fwyd chi i frecwast? Pam?

_____

_____

4.   Be' ydy'ch hoff raglen chi? Pam?

_____

_____

Pecyn Ymarfer – Cwrs Sylfaen: Uned 9

Pecyn Ymarfer Cwrs Sylfaen: Uned 10

Ymarfer 1

Meddyliwch am gwestiynau addas i'r atebion yma:
Think of appropriate questions for these answers.

1. _____

   Dw i'n meddwl fod o'n ganwr gwych.

2. _____

   Maen nhw'n teimlo'n sâl ar ôl yfed y gwin coch.

3. _____

   Ro'n i'n arfer byw yng Nghaerdydd.

4. _____

   O'n, ro'n i'n nabod Mari, pan o'n i'n byw yno.

5. _____

   Ydy, mae'n well gen i wrando ar gerddoriaeth.

Ymarfer 2

**Darllenwch yr erthygl yma (addasiad o'r *Cymro*, Awst 2005)
ac atebwch y cwestiynau sy'n dilyn.**
Read this article (adapted from Y Cymro, *August 2005)
and answer the questions which follow.*

Taro'r targed

Roedd Paul Good wedi cael digon o fywyd y ddinas a phobl Llundain. Mi wnaeth o benderfynu ei bod hi'n hen bryd iddo symud yn ôl i Gymru i fyw. Felly, mi ddaeth y syniad o sefydlu busnes newydd - *Dragonraiders*, sef cwrs saethu peli paent. Mae o'n dŵad o Borthmadog yn wreiddiol, felly roedd o isio mynd yn ôl i Eifionydd efo'i syniadau. Bythefnos yn ôl, mi ddaeth y syniad yn wir, ar ôl iddo agor y cwrs newydd, 30 acer, yn Llanystumdwy, ger Cricieth.

O le daeth y syniad? 'Mi es i efo fy nhad i ar gwrs saethu peli paent i ddathlu ei ben-blwydd yn 60 mlwydd oed, ac mi gaethon ni amser da iawn. Dyna lle ges i'r syniad a phenderfynu mod i'n mynd i ddechrau cwrs tebyg. Mi wnes i brynu'r tir bum mlynedd yn ôl ar ôl bod yn gweithio yn Llundain. Ro'n i isio dŵad yn ôl i'r ardal a rhoi rhywbeth yn ôl i'r ardal. Pan o'n i'n ifanc yma, doedd dim byd i wneud yma o gwbl.'

Mi wnaeth hi gymryd blwyddyn a hanner i adeiladu'r cwrs newydd. 'Ges i ddim help gan neb - y Cyngor, na'r Bwrdd Twristiaeth,' meddai Paul, 'ac roedd rhaid i mi adeiladu popeth fy hun. Rŵan, mae pawb yn meddwl bod y lle yn wych, ar ôl i ni agor, ac mae saith o bobl leol yn gweithio yma'.

1. Lle oedd Paul yn arfer byw?

_____

_____

2. O le mae o'n dŵad yn wreiddiol?

_____

_____

3. Pryd wnaeth y cwrs newydd agor?

_____

_____

4. Pam oedd Paul a'i dad wedi mynd i saethu peli paent?

_____

_____

5. Ers pryd mae'r tir gan Paul?

_____

6. Be' oedd y broblem i bobl ifanc yn yr ardal, pan oedd Paul yn ifanc?

_____

7. Pwy wnaeth helpu Paul i adeiladu'r cwrs newydd?

_____

8. Be' ydy barn y bobl am y cwrs?

_____

 Geirfa

Bwrdd Twristiaeth	-	*Tourist Board*
taro'r targed	-	*to hit the target*
cael digon	-	*to have enough*
dathlu	-	*to celebrate*
acer	-	*acre*
neb	-	*no one*
peli paent	-	*paint balls*
saethu	-	*to shoot*
sefydlu	-	*to establish*
syniad(au)	-	*idea(s)*

Ymarfer 3

Dychmygwch eich bod chi'n mynd i gyfweld Paul Good ar gyfer eich papur lleol. Meddyliwch am 5 cwestiwn i'w gofyn iddo.

> *Imagine that you're going to interview Paul Good for your local paper. Think of 5 questions to ask him.*

1. _____

2. _____

3. _____

4. _____

5. _____

Pecyn Ymarfer – Cwrs Sylfaen: Uned 10

Pecyn Ymarfer Cwrs Sylfaen: Uned 11

Ymarfer 1

Llenwch y bylchau yn y brawddegau yma:

Fill in the gaps in these sentences:

1. Mi ges i fy _____ yn Aberteifi.

2. Lle _____ ti dy eni?

3. _____ gaethoch chi eich geni? Ym 1966.

4. _____ Sharon ei geni yn Llanrwst.

5. Lle gaeth Alun _____ fagu?

6. Roedd hi'n byw yn yr _____ stryd â fi.

Ymarfer 2

Cyfieithwch y brawddegau yma:

Translate these sentences:

1. Where were you born? (chi)

   _____

2. When were you born? (ti)

   _____

3. Where was she born?

   _____

4. Where was she raised?

   _____

5. He was seen by the tutor.

   _____

6. She was heard by her sister.

   _____

Ymarfer 3

Be' wnaeth ddigwydd i'r bobl yma?

e.e.   John + talu + y dyn = Mi gaeth John ei dalu gan y dyn.

1. Siân + cicio + y ceffyl   _____

2. Dewi + gweld + ei frawd o   _____

3. Mari + cario adre + ei gŵr hi   _____

4. Y dyn + clywed + y dyn arall   _____

5. Tomos + magu + ei nain o   _____

6. Y plant + deffro + eu mam nhw   _____

 Ymarfer 4

Ysgrifennwch chwe brawddeg am yr ardal lle gaethoch chi eich geni neu eich magu.

Write six sentences about the area where you were born or brought up.

1. _____

2. _____

3. _____

4. _____

5. _____

6. _____

 Ymarfer 5

Atebwch y cwestiynau yma:

1. Lle gaethoch chi eich geni?   _____

2. Lle gaethoch chi eich magu?   _____

3. Lle gaeth eich mam ei geni?   _____

4. Lle gaeth hi ei magu?   _____

5. Lle gaeth eich tad ei eni?   _____

6. Lle gaeth eich tad ei fagu?   _____

Pecyn Ymarfer Cwrs Sylfaen: Uned 12

 Ymarfer 1

Llenwch y bylchau yn y brawddegau yma:

1. Mi gaeth _____ ei ddwyn.

2. Mi gaeth _____ ei lladd.

3. Mi gaeth _____ ei hagor.

4. Mi gaeth _____ eu hanafu.

5. Mi gaeth _____ ei chau.

6. Mi gaeth _____ eu harestio.

 Ymarfer 2

Cyfieithwch y brawddegau yma:

1. A man was killed in Aberystwyth yesterday.

_____

2. A thief was caught in Cardiff yesterday.

_____

3. A woman was arrested last night.

_____

4. The Sony factory was closed today.

_____

5. Two women were shot in London.

_____

6. Thieves were arrested by the police in Swansea.

_____

Ymarfer 3

Darllenwch yr eitemau newyddion yma. Yna, edrychwch ar y rhestr o benawdau isod ar y chwith. Ysgrifennwch y pennawd mwya priodol uwchben pob eitem, allan o'r rhestr. Mae un pennawd dros ben. Cofiwch, does dim rhaid deall pob gair.

> *Read these news items. Then, look at the list of headlines below left. Write the most appropriate heading from the list above each item. There is one heading too many. Remember, you don't need to understand every word.*

1.

_____

Mi gaeth tri o bobl eu lladd ddoe mewn damwain yn Aberystwyth. Roedden nhw'n cerdded ar y stryd fawr pan ddaeth car yn rhy gyflym a'u taro nhw. Mi gaeth llanc ei arestio.

2.

_____

Ar ôl misoedd o drafod, mi gaeth ffatri newydd yn gwneud dillad plant ei hagor yn Aberteifi ddoe. Mae diweithdra'n uchel yn yr ardal ar ôl i ffatri *Plantos* gau flwyddyn yn ôl. Mi wnaeth maer y dre ddweud fod pawb yn hapus iawn.

3.

_____

Mi gaeth merch ei hanafu wrth ddringo yn Eryri ddoe. Roedd hi efo grŵp o ffrindiau, ond mi wnaeth y tywydd newid yn sydyn. Erbyn y prynhawn, roedd hi'n bwrw glaw yn drwm ac yn oer iawn.

4.

_____

Neithiwr, mi gaeth miloedd o bunnoedd eu dwyn o siop yn Aberpennar. Mae'r heddlu wedi gofyn am gymorth. Mi gaeth dynion eu gweld mewn Volvo gwyn yn yr ardal tua saith o'r gloch ar y ffordd allan o'r dre.

5.

_____

Mi gaeth y gêm rhwng Llanrwst a Chaernarfon ei gohirio neithiwr, oherwydd y tywydd ofnadwy. Mi fydd rhaid iddyn nhw chwarae eto yr wythnos nesa, os bydd y maes yn sych.

- Newyddion da am swyddi
- Lladron yn gyrru i ffwrdd
- Tywydd yn poeni chwaraewyr
- Trasiedi ar y ffordd
- Protest yn cyrraedd y dre
- Mynyddoedd yn beryglus

 Ymarfer 4

Ar sail yr eitemau uchod, atebwch y cwestiynau yma, gan ddechrau efo
Mi gaeth neu Mi gaethon:

> *On the basis of the above items, answer these questions, starting with* Mi gaeth *or* Mi gaethon:

1. Be' wnaeth ddigwydd i'r bobl yn Aberystwyth? _____

2. Be' wnaeth ddigwydd i'r ffatri yn Aberteifi? _____

3. Be' wnaeth ddigwydd i'r ferch yn Eryri? _____

4. Be' wnaeth ddigwydd i'r pres yn y siop? _____

5. Be' wnaeth ddigwydd i'r gêm bêl-droed? _____

Pecyn Ymarfer Cwrs Sylfaen: Uned 13

Ymarfer 1

Cyfieithwch y brawddegau yma:

1. May I ask you something? _____
2. May I use the phone? _____
3. May we have one for Siân, please? _____
4. May we have a word? _____
5. May she go home? _____
6. May they go home? _____
7. Will you pass the salt? (ti) _____
8. Will you give me a lift? (chi) _____

Ymarfer 2

Ysgrifennwch yr atebion i'r cwestiynau yma:

1. Gawn ni ddefnyddio'r ffôn? ✓ _____
2. Gaiff hi fynd i'r parti heno? ✓ _____
3. Ga i un i Bryn? ✗ _____
4. Gân nhw ddŵad i'r dosbarth nesa? ✓ _____
5. Wnewch chi gau'r drws? ✓ _____
6. Wnei di un peth i mi? ✗ _____

Ymarfer 3

Ysgrifennwch nodyn i'ch partner yn dweud y byddwch chi'n hwyr heno, ac yn gofyn iddo/iddi godi'r plant o'r ysgol.

> *Write your partner a note saying you will be late tonight,*
> *and asking him/her to fetch the children from school.*

Pecyn Ymarfer Cwrs Sylfaen: Uned 14

Ymarfer 1

Llenwch y bylchau yn y brawddegau yma:

1. Siân _____ 'ma.
2. Bryn _____ siarad.
3. _____ dim ateb ar hyn o bryd.
4. Fi _____ yn gyfrifol am hyn ddoe.
5. Pavarotti sy'n canu Nessun Dorma? _____ (✓)
6. Dim ond un cwestiwn sy _____ i.
7. Pwy sy _____'r got yma?
8. Dw i'n _____ rhywun sy'n byw yn y dre.

Ymarfer 2

Cyfieithwch y brawddegau yma:

1. Who's speaking, please?
   _____

2. It's John who was going to do this.
   _____

3. It's Mair who will be coming to the meeting.
   _____

4. I've only got a minute.
   _____

5. That one's mine!
   _____

6. Whose are these?
   _____

7. Is this yours?
   _____

8. I know someone who works in an office.
   _____

Ymarfer 3

Ysgrifennwch neges ffôn i ateb y sefyllfaoedd yma:

Write a telephone message for these situations:

1. Your name's Sam and you want to leave a message for your son. You won't be able to give him a lift tonight but you know someone who works in the office who will.

_____

_____

_____

2. It's 11pm and you're leaving a message for your office. You feel ill and won't be in work tomorrow. You want to know if there's someone who will be able to go to the meeting at 10am.

_____

_____

_____

3. You're leaving a message for your father. Say that you're in work and you won't be home for supper tonight. Ask him if he will feed the dog. Say you'll see him tomorrow.

_____

_____

_____

Pecyn Ymarfer – Cwrs Sylfaen: Uned 14

Pecyn Ymarfer Cwrs Sylfaen: Uned 15

Ymarfer 1

Darllenwch y darn yma ac ateb y cwestiynau sy'n dilyn.
Does dim rhaid deall popeth!

> *Read this article and answer the questions which follow.*
> *You don't need to understand everything!*

Un dyn bach ar ôl

(addasiad o erthygl yn *Y Cymro* Awst 2005)

Ym 1939, pan wnaeth y Rhyfel ddechrau, roedd Eddie Gurmin yn ddyn ifanc 18 oed. Roedd o'n byw yn Nhredegar, nes iddo fo ymuno â'r RAF. Rŵan, mae Eddie yn 84 oed ac yn byw yn Llangynidr, pentre bach yng nghanol y cymoedd. Yn ddiweddar, mi aeth o a'i wraig i'r Iseldiroedd i ddathlu Diwrnod VE.

Ar ôl hedfan dros 30 taith, roedd criwiau'n cael gadael. Roedd Eddie ar ei 29ain daith dros yr Almaen, pan gaeth o ei saethu i lawr. 'Roedden ni dros Hamburg ac mi wnes i glywed sŵn mawr. Mi wnaeth y peilot ddweud wrthon ni am neidio allan'. Ar ôl glanio, doedd Eddie ddim yn gwybod lle oedd o, na lle oedd pawb arall. 'Mi wnes i gerdded i lawr y ffordd yn chwibanu *There'll always be an England* rhag ofn bod rhywun arall o'r criw yn agos. Ond yn sydyn, mi ddaeth dyn o'r Luftwaffe rownd y gornel. Mi ges i fy nal!'

Mi gaeth Eddie ei anfon i wersyll bach - Stalag 3E. 'Mi gaeth fy mam delegram i ddweud mod i'n *missing in action*. Mi aeth tair wythnos heibio cyn iddi hi gael y neges mod i'n ddiogel. Mi ges i fy enwi fel carcharor rhyfel.' Ar ôl amser yno, mi gaeth o ei symud i Stalag Luft 3, sy'n enwog achos y ffilm efo Steve McQueen, *The Great Escape*. Erbyn heddiw, allan o'r criw bomio, dim ond Eddie sy'n dal yn fyw.

Geirfa

carcharor	-	*prisoner*
chwibanu	-	*to whistle*
criw	-	*crew*
diogel	-	*safe*
glanio	-	*to land*
gwersyll	-	*camp*
hedfan	-	*to fly*
heibio	-	*past*
neidio	-	*to jump*
rhag ofn	-	*in case*
rhyfel	-	*war*
saethu	-	*to shoot*
ymuno â	-	*to join*

Cwestiynau

1.   Faint oedd oed Eddie ar ddechrau'r Rhyfel?

_____

2.   Faint ydy ei oed o rŵan?

_____

3.   Lle mae Llangynidr?

_____

4.   Pam aeth o a'i wraig i'r Iseldiroedd?

_____

5.   Sawl gwaith roedd Eddie wedi hedfan dros yr Almaen yn barod?

_____

6.   Lle yn yr Almaen wnaeth hyn ddigwydd?

_____

7.   Sut roedd Eddie'n trio cysylltu efo'r criw? *(trying to contact the crew)*

_____

8.   Sut wnaeth mam Eddie glywed fod o ar goll?

_____

9.   Pam mae Stalag Luft 3 yn enwog?

_____

10.   Faint o bobl o'r criw bomio sy'n fyw rŵan?

_____

Ymarfer 2

Ffeindiwch yr ymadroddion yn y darn uchod sy'n gyfieithiadau o'r brawddegau yma:

Find the phrases in the above piece which are translations of these sentences:

1.   *He was shot down*   _____

2.   *I was caught*   _____

3.   *Eddie was sent*   _____

4.   *I was named*   _____

5.   *He was moved*   _____

Pecyn Ymarfer Cwrs Sylfaen: Uned 16

Ymarfer 1

Llenwch y bylchau yn y brawddegau yma:

Fill in the gaps in these sentences:

1. Mi fydda _____ yna yfory.
2. _____ di yna yfory?
3. _____ chi yn y cyfarfod yfory?
4. Gobeithio, os _____ gen i amser.
5. Mi fyddwn ni'n _____ ar y traeth.
6. _____ fydd John yn wneud nos Sul?
7. Fydda i _____ yn rhugl.
8. Be' os _____ fyddan nhw'n barod?

Ymarfer 2

Cyfieithwch y brawddegau yma:

Translate these sentences:

1. *I'll be in class on Wednesday night.*

   _____

2. *Will you be in work tomorrow?*

   _____

3. *If I have time.*

   _____

4. *We will be going in July.*

   _____

5. *He'll be in work tomorrow.*

   _____

6. *She'll be coming to the meeting.*

   _____

7. *I'll never be rich.*

   _____

8. *What if they're not ready?*

   _____

Ymarfer 3

Atebwch y cwestiynau yma:
Answer these questions:

1. Lle byddwch chi'n mynd ar eich gwyliau nesa?

_____

2. Efo pwy byddwch chi'n mynd?

_____

3. Sut byddwch chi'n mynd?

_____

4. Pryd byddwch chi'n mynd?

_____

5. Be' fyddwch chi'n wneud os bydd hi'n bwrw glaw?

_____

Ymarfer 4

Nodwch un peth fyddwch chi'n wneud dros y penwythnos, un peth fyddwch chi **ddim** yn wneud ac un peth fyddwch chi'n wneud os bydd hi'n bwrw glaw.
Yna ysgrifennwch dri pheth tebyg ar gyfer eich gŵr / gwraig / partner / ci / ffrind.

*Write one thing you will be doing over the weekend, one thing you **won't** be doing and one thing you'll be doing if it rains. Then write three similar sentences about your husband / wife / partner / dog / friend.*

Chi	Eich gŵr / gwraig / partner / ci / ffrind
1. _____	_____
2. _____	_____
3. _____	_____

Pecyn Ymarfer Cwrs Sylfaen: Uned 17

Ymarfer 1

Llenwch y bylchau yn y brawddegau yma:

1. Mi wna i'r te os _____ di'r swper.
2. _____ godi'n gynnar bore yfory.
3. _____ i ddim anghofio.
4. Be' _____ chi yfory?
5. _____ ni gyrraedd am un ar ddeg yfory.
6. _____ chi ddim gweld dim byd heno.
7. _____ hi edrych ar y teledu nes ymlaen.
8. Be' wnân nhw os na _____ y bws gyrraedd?

Ymarfer 2

Cyfieithwch y brawddegau yma:

1. *I'll do the dishes if you do the cleaning.*

   _____

2. *I'll pick up the children later on.*

   _____

3. *We'll see everyone at eleven o'clock.*

   _____

4. *You (chi) won't sleep.*

   _____

5. *They'll do the work tonight.*

   _____

6. *They'll send us everything tomorrow.*

   _____

7. *What will they do if they see an accident?*

   _____

8. *What will they do if the bus doesn't arrive?*

   _____

Ymarfer 3

Darllenwch
y nodyn yma:

> Annwyl Siân a Bryn,
>
> Mi fydda i'n hwyr heno. Rhaid i mi weithio yn y swyddfa tan wyth o'r gloch, a fydda i ddim adre am hanner awr arall. Os wnaiff Mrs Tomos ffonio, dwedwch mod i'n ymddiheuro. Mi wna i ei chyfarfod hi yfory. Hwyl tan nes ymlaen.
>
> Mererid

Ysgrifennwch nodyn
arall tebyg i hwn.
> *Write another note like this one. You can't come to the meeting tomorrow. You have to go to the hospital. If you can, you'll be in on Thursday. Add any other details you wish.*

Ysgrifennwch nodyn
at eich tiwtor Cymraeg.
Rhaid i chi ddefnyddio'r
geiriau yma, ond does dim
rhaid eu defnyddio yn y
drefn yma:
> *Write your Welsh tutor a note. You must use these words, but not necessarily in this order:*

mi fydda   **os na....**

dosbarth   **mi wna i ffonio...**

Pecyn Ymarfer Cwrs Sylfaen: Uned 18

Ymarfer 1

Cyfieithwch y brawddegau yma:

1. *I'll go if you go*

_____

2. *He'll go if she goes*

_____

3. *I'll come if you come*

_____

4. *They'll come if she comes*

_____

5. *I'll reach Ireland on Sunday*

_____

6. *We'll come home on Saturday*

_____

7. *We'll have a drink if you have something*

_____

8. *She'll have a pint of beer if he has something*

_____

Ymarfer 2

Atebwch y cwestiynau yma. Does dim rhaid dweud y gwir!

1. Be' wnewch chi nos Sul nesa? _____

2. Be' wnewch chi nos Iau nesa? _____

3. Be' wnewch chi ar eich gwyliau nesa? _____

4. Be' wnaiff eich tiwtor nos yfory? _____

5. Be' wnaiff eich plant nos yfory? _____

Ymarfer 3

Ysgrifennwch frawddegau'n cynnwys y geiriau yma:

Write sentences containing these words:

1. mi ddaw

_____

2. mi awn

_____

3. mi gaiff

_____

4. mi ân

_____

5. mi ddôn

_____

Ymarfer 4

Ysgrifennwch at eich ffrind.

Write a note to your friend saying you'll come over next week to see him/her.
Say you will telephone before hand and say where and when you will meet.

Pecyn Ymarfer
Cwrs Sylfaen:
Uned 19

Ymarfer 1

Rhowch gyngor i'r bobl yma, gan ddefnyddio *Mi ddyl...*
Give these people advice, using Mi ddyl...

Mae'r ddannodd arno fo _____

Dw i ddim yn medru mynd i'r tŷ bach _____

Maen nhw'n smocio gormod _____

Mae o'n dwp _____

Mae hi'n yfed gormod o wisgi _____

Dan ni'n gwylio'r teledu gormod _____

Mae Bryn yn rhy dew _____

Ymarfer 2

Cyfieithwch y brawddegau yma:

1. *You should use the bus sometimes* _____

2. *You should walk more* _____

3. *I should worry less* _____

4. *I should go out more* _____

5. *I shouldn't drink so much* _____

6. *He should lose weight* _____

7. *I should have gone* _____

8. *I would like to say something* _____

9. *I could have gone home* _____

 Ymarfer 3

Matsiwch y brawddegau yn y golofn gyntaf â'r ymatebion yn yr ail golofn:
Match the sentences in the first column to the responses in the second column:

Mae syched arna i	Mi ddylet ti fod wedi gwisgo cot
Dw i'n wlyb	Mi ddylech chi fod wedi bod yn fwy gofalus
Mae'r ffliw arnyn nhw	Mi ddylai fo fod wedi aros ar ei blaned ei hun
Alien ydy o	Hoffet ti gael paned o de?
Mae'r cariad yn disgwyl babi	Mi ddylen nhw fod wedi aros yn y gwely

 Ymarfer 4

Ysgrifennwch y pethau dylech chi wneud a'r pethau hoffech chi wneud wythnos nesa:
Write the things you should do and the things you'd like to do next week:

	Would like to...	Should...
Dydd Llun:	_____	_____
Dydd Mawrth:	_____	_____
Dydd Mercher:	_____	_____
Dydd Iau:	_____	_____
Dydd Gwener:	_____	_____

Pecyn Ymarfer Cwrs Sylfaen: Uned 20

Ymarfer 1

Darllenwch yr hysbysebion yma:
Read these advertisements:

 Geirfa

cyflwr   -   *condition*

AR WERTH

Llawer o amser hamdden? Set lawn o glybiau golff (llaw chwith) ar werth, mewn cyflwr ardderchog. Ar gael am hanner cant o bunnoedd. Am ragor o fanylion, cysylltwch â Mr Griffiths ar 01234 381230 yn ystod oriau gwaith.

AR WERTH

Crys Rygbi Cymru i blentyn 10-11 oed am ddeg punt. Newydd sbon (anrheg pen-blwydd, ond yn rhy fach). Ffoniwch Mair ar Abertawe 421304 ddydd Mawrth neu ddydd Mercher.

AR WERTH

Peiriant golchi llestri mewn cyflwr ardderchog am ddim ond can punt neu'r cynnig agosa. Am ragor o fanylion ffoniwch Dewi yn y swyddfa: Bethesda 427501. Yn y gwaith tan hanner awr wedi pedwar bob dydd.

AR WERTH

Beth am wrando ar eich hoff gerddoriaeth ar chwaraewr CD personol? Mewn cyflwr da iawn, ac ar gael am wyth punt drwy ffonio Gareth ar 02920 635734 nos Wener.

AR WERTH

Ar werth: peiriant torri gwellt petrol. Angen tipyn o waith. Y pris - dim ond saith deg o bunnoedd. Rhaid ffonio Caerdydd 02920 821123 ar ôl saith o'r gloch y nos.

Gorffennwch y brawddegau yma ar sail yr hysbysebion:

Finish these sentences on the basis of the advertisements:

1. Mi ddylech chi ffonio Mr Griffiths... _____

2. Roedd Mr Griffiths yn chwarae... _____

3. Mae crys Mair yn addas i blentyn... _____

4. Os wnewch chi ffonio Mair ar ddydd Iau... _____

5. Mae Dewi'n gorffen gwaith... _____

6. Mae Dewi'n gwerthu.... _____

7. _____ sy'n gwerthu chwaraewr CD personol.

8. Ffoniwch 02920 635734 os... _____

9. Dydy'r peiriant torri gwair ddim... _____

10. Os dach chi isio'r peiriant torri gwellt,
    mi ddylech chi ffonio... _____

Ymarfer 2

Atebwch y cwestiynau yma:

1. Be' wnewch chi dros y penwythnos os bydd hi'n oer?

   _____

2. Be' wnewch chi heno?

   _____

3. Lle byddwch chi am dri o'r gloch prynhawn yfory?

   _____

4. Be' ddylech chi wneud nos yfory?

   _____

5. Be' hoffech chi wneud nos yfory?

   _____

Pecyn Ymarfer Cwrs Sylfaen: Uned 21

Ymarfer 1

Llenwch y bylchau yn y brawddegau yma:

1. Faset ti'n mynd ar wyliau i Sbaen?_____ (✓)
2. Efo miliwn o bunnoedd, _____ ni'n rhoi pres i Oxfam.
3. _____ hi ddim yn mynd ar brotest.
4. Mi fasai'n _____ gen i fynd ar gwrs Cymraeg.
5. Fasai fo'n teithio ar feic modur? _____ (✗)
6. Hoffet ti _____ ar Pavarotti?
7. Hoffech chi_____ i Sbaen?
8. Liciet ti _____ yn blismon?

Ymarfer 2

Cyfieithwch y brawddegau yma:

1. *I would buy a new house.*

   _____

2. *Would you buy a yacht?*

   _____

3. *He would speak Welsh in a shop.*

   _____

4. *She woudn't put money on horses.*

   _____

5. *I'd rather go to the pub.*

   _____

6. *We'd rather move to Wales.*

   _____

7. *Would you like to be a tutor?*

   _____

8. *I wouldn't be able to do that.*

   _____

Ymarfer 3

Ysgrifennwch be' fasech chi'n wneud efo miliwn o bunnoedd:

Yn gynta,   _____

Wedyn,   _____

Yn ola,   _____

Ymarfer 4

Atebwch y cwestiynau yma:

1.   Fasech chi'n bwyta malwod? Pam?

        _____

2.   Fasech chi'n canu mewn noson Carioci? Pam?

        _____

3.   Fasech chi'n mynd ar wyliau i Iwerddon? Pam?

        _____

4.   Fasech chi'n mynd i ddosbarth jiwdo? Pam?

        _____

Pecyn Ymarfer - Cwrs Sylfaen: Uned 21

Pecyn Ymarfer
Cwrs Sylfaen:
Uned 22

Ymarfer 1

Atebwch y cwestiynau yma:

1. Be' fasech chi'n wneud, tasai gynnoch chi gan punt?

_____

2. Be' fasech chi'n wneud, tasai gynnoch chi amser sbâr?

_____

3. Be' fasech chi'n wneud, tasai gynnoch chi gur pen?

_____

4. Be' fasai Tom Jones yn wneud, tasai fo'n gallu?

_____

5. Be' fasai Laurel a Hardy'n wneud, tasen nhw'n fyw?

_____

6. Be' fasai Margaret Thatcher yn wneud, tasai hi yn rhif 10 Stryd Downing?

_____

Ymarfer 2

Cyfieithwch y brawddegau yma:

1. *I'd go for a walk if it were fine.*

_____

2. *I'd read more if I had time.*

_____

3. *What would you do, if it were raining?*

_____

4. *If I saw a thief in a shop, I wouldn't do anything.*

_____

5. *He'd move house if he could.*

_____

6. *She'd do a bunjee jump, if she were allowed to.*

_____

7. *I wouldn't invite everyone.*

_____

8. *Would you lend me money?*

_____

Ymarfer 3

Gorffennwch y brawddegau yma:

1. Taswn i'n gyfoethog...

_____

2. Taswn i'n rhedeg y wlad...

_____

3. Taswn i'n nabod Mr Blair...

_____

4. Taswn i'n disgwyl babi...

_____

5. Tasai'r Beatles yn canu rŵan...

_____

Pecyn Ymarfer Cwrs Sylfaen: Uned 23

Ymarfer 1

Llenwch y bylchau yn y brawddegau yma.
Defnyddiwch be' sy mewn cromfachau fel sbardun:
Fill in the gaps, using the prompts in the brackets where necessary:

1. _____ o ddim yn bell iawn.

2. Tua _____ (2) filltir, siŵr o fod.

3. Pa _____ bell ydy hi i'r dre?

4. Mae o tua deg _____ o uchder.

5. Pa _____ (lliw) ydy o?

6. Mae hi'n _____ tua deg stôn.

7. Os _____ (mynd) di rŵan, fydd dim problem.

Ymarfer 2

Labelwch y cwmpawd yma:
Label this compass:

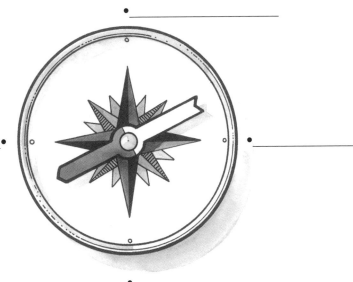

Ymarfer 3

Cyfieithwch y brawddegau yma:

1. *It's very far.* _____

2. *About two miles to the north, I suppose.* _____

3. *How far is it to the leisure centre?* _____

4. *It's enormous.* _____

5. *It's about ten foot wide.* _____

6. *How big is it?* _____

7. *She's around six foot.* _____

8. *Will you carry the box for me?* _____

Ymarfer 4

Meddyliwch am bump brawddeg i ddisgrifio eich tŷ:
Think of five sentences to describe your house:

1. _____

2. _____

3. _____

4. _____

5. _____

Ymarfer 5

Meddyliwch am bump brawddeg i ddisgrifio eich car (neu gar eich cymydog):
Think of five sentences to describe your car (or your neighbour's car):

1. _____

2. _____

3. _____

4. _____

5. _____

Pecyn Ymarfer Cwrs Sylfaen: Uned 24

Ymarfer 1

Cyfieithwch y brawddegau yma:

1. *He's not as popular as Tom Jones*

_____

2. *It's not as expensive as bread*

_____

3. *They're not as good as the Stereophonics*

_____

4. *It's not as much as that*

_____

5. *They're as stupid as each other*

_____

6. *We're as guilty as each other*

_____

7. *I'm as lazy as him*

_____

8. *I'm as popular as you*

_____

Ymarfer 2

Dwedwch rywbeth am y bobl neu'r pethau yma:
Say something about these people or things:

e.e.   Cymru / America   Dydy Cymru ddim mor fawr ag America

Bryn Terfel / Pavarotti   _____

Tom Jones / Sid Vicious   _____

Ken Dodd / Tommy Cooper   _____

Brad Pitt / Anthony Hopkins   _____

Richard Branson / Bill Gates   _____

Hilary Clinton / Bill Clinton   _____

Ymarfer 3

Defnyddiwch y geiriau yma mewn brawddegau:

Use these words in sentences:

1.   poblogaidd

_____

2.   drud

_____

3.   rhad

_____

4.   cynddrwg

_____

5.   cystal

_____

6.   cymaint

_____

Ymarfer 4

Atebwch y cwestiynau yma yn ôl yr enghraifft:

Answer these questions according to the example:

e.e.   Dach chi'n meddwl bod Toshiba cystal â Panasonic?
       Nac ydw, dw i'n meddwl bod Toshiba cystal â Sony.

1.   Dach chi'n meddwl bod Shirley Bassey mor swnllyd ag Ella Fitzgerald?

_____

2.   Dach chi'n meddwl bod y Simpsons mor ddigri â Futurama?

_____

3.   Dach chi'n meddwl bod *Harry Potter* mor boblogaidd â *Lord of the Rings*?

_____

4.   Dach chi'n meddwl bod Caerdydd mor swnllyd ag Abertawe?

_____

Pecyn Ymarfer – Cwrs Sylfaen: **Uned 24**

Pecyn Ymarfer Cwrs Sylfaen: Uned 25

Ymarfer 1

Atebwch y cwestiynau yma:

1. Tasai gynnoch chi amser, be' fasech chi'n wneud?

_____

2. Lle hoffech chi fynd y Nadolig nesa? Pam?

_____

3. Lle dylech chi fynd nos yfory?

_____

4. Be' dach chi'n feddwl o'r cwrs Cymraeg?

_____

5. Be' fasai'n well gynnoch chi, mynd i'r sinema neu fynd i'r theatr?

_____

6. Pwy ydy'ch hoff actor neu actores chi? Pam?

_____

Ymarfer 2

Be' dach chi'n hoffi, neu be' dach chi **ddim** hoffi am eich ardal chi? Ysgrifennwch 50 o eiriau.

What do you like, or what **don't** you like about your area? Write about 50 words.

_____

_____

_____

_____

_____

_____

Ymarfer 3

Ysgrifennwch 50 o eiriau am **un** o'r pynciau yma:

a. Siopa
b. Chwaraeon
c. Dysgu Cymraeg
ch. Y teulu

_____

_____

_____

_____

_____

_____

Pecyn Ymarfer Cwrs Sylfaen: Uned 26

Ymarfer 1

Llenwch y bylchau yn y brawddegau yma.

Defnyddiwch y geiriau sy mewn cromfachau fel sbardun.

Fill in the gaps in these sentences. Use the words in brackets as prompts.

1. Mae heddiw'n _____ (oer) na ddoe.

2. Roedd ddoe'n _____ (gwlyb) na heddiw.

3. Mi fydd hi'n _____ cymylog yfory.

4. Dw i'n _____ (ifanc) na fo.

5. Dw i'n _____ (hen) na ti.

6. Mae Everest yn _____ (uchel) na Ben Nevis.

7. Mae dŵr yn _____ (rhad) na gwin.

8. Dw i'n dda iawn _____ gofio pethau.

Ymarfer 2

Cyfieithwch y brawddegau yma:

1. *It was hotter yesterday.*

_____

2. *It will be more miserable tomorrow.*

_____

3. *I'm taller than you.*

_____

4. *I'm more funny than Edward.*

_____

5. Pobl y Cwm *is better than* Eastenders.

_____

6. *Swansea is smaller than Cardiff.*

_____

7. *Coffee is more expensive than tea.*

_____

8. *I'm very good at doing nothing.*

_____

Pecyn Ymarfer - Cwrs Sylfaen: Uned 26

Ymarfer 3

Cymharwch y bobl yma:

Compare these people:

1.   Siôn Corn / Pavarotti

         _____

2.   Marge Simpson / Homer Simpson

         _____

3.   Brad Pitt / Anthony Hopkins

         _____

4.   Kate Moss / Catherine Zeta Jones

         _____

5.   Bill Gates / Richard Branson

Ymarfer 4

Cymharwch y tri yma:

Compare these three:

	Bryn	**Siân**	**Ted yr hamster**
Taldra	6′	5′6″	3″
Pwysau	13 stôn	10 stôn	10 owns
IQ	100	100	150

e.e.   Mae Bryn yn dalach na Siân.

1.   _____

2.   _____

3.   _____

4.   _____

5.   _____

6.   _____

Pecyn Ymarfer Cwrs Sylfaen: Uned 27

Ymarfer 1

Llenwch y bylchau yn y brawddegau yma gan ddefnyddio unrhyw eiriau mewn cromfachau fel sbardun.

Fill in the gaps in these sentences using any words in brackets as prompts.

1. Pwy ydy'r gorau _____ goginio?

2. Dw i'n meddwl mai Pavarotti ydy'r _____ (tew).

3. Dw i'n meddwl mai Lowri ydy'r _____ (tal).

4. Bryn ydy'r _____ digri.

5. Siân ydy'r _____ swil.

6. Everest _____'r mynydd ucha?　　_____ (✓)

Ymarfer 2

Cyfieithwch y brawddegau yma:

1. *You're the worst.*

   _____

2. *I think that Bryn's the smallest.*

   _____

3. *I think Tom's the funniest.*

   _____

4. *I think Siân is the richest.*

   _____

5. *Who's the youngest in the class?*

   _____

6. *Cardiff is the most dangerous city.*

   _____

 Ymarfer 3

Atebwch yn ôl yr enghraifft:

Answer according to the example:

  1.   Mae Mari'n dal iawn.   Ydy, hi ydy'r dala.

  2.   Mae Bryn yn dew ofnadwy.   _____

  3.   Mae'r Stereophonics yn dda. _____

  4.   Mae Siân yn gyfoethog.   _____

  5.   Mae BMW yn ddrud iawn.   _____

  6.   Mae'r Wyddfa'n uchel.   _____

 Ymarfer 4

Atebwch y cwestiynau yma:

  1.   Be' ydy'r peth gorau am ddysgu Cymraeg?

          _____

  2.   Be' ydy'r peth mwya anodd am ddysgu Cymraeg?

          _____

  3.   Pa un oedd y gwyliau gwaetha gaethoch chi erioed? Pam?

          _____

Pecyn Ymarfer – Cwrs Sylfaen: Uned 27

Pecyn Ymarfer Cwrs Sylfaen: Uned 28

Ymarfer 1

Cyfieithwch y canlynol:
Translate the following:

1. *For at least two hours* _____

2. *For about two minutes* _____

3. *Since when have you been waiting here?* _____

4. *I was there for a fortnight* _____

5. *Were you ever in France?* _____

6. *I was never there* _____

7. *For two years* _____

8. *When is your birthday?* _____

Ymarfer 2

Ysgrifennu yn y gorffennol.
　Writing in the past.

Ysgrifennwch ddarn yn y gorffennol
ar un o'r testunau yma (tua 75 o eiriau):
　*Write a piece in the past on one of
　these topics (about 75 words):*

Naill ai: (*either*):

(i)　Diwrnod ofnadwy yn y gwaith.
　　　A terrible day at work.

neu　(ii)　Parti pen-blwydd arbennig.
　　　　A special birthday party.

neu　(iii)　Penwythnos mewn gwlad dramor.
　　　　A weekend abroad.

Pecyn Ymarfer Cwrs Sylfaen: Uned 29

Ymarfer 1

Atebwch y cwestiynau yma yn gadarnhaol,
h.y. drwy ddweud *Yes*, neu drwy gytuno â'r gosodiadau.

*Answer these questions positively, i.e. by saying **Yes**, or by agreeing with the statements.*

1. Dach chi'n brysur ar hyn o bryd? _____
2. Aethoch chi allan neithiwr? _____
3. Oedd hi'n braf ddoe? _____
4. Oes gynnoch chi gar? _____
5. Ga i barcio yma? _____
6. Doctor dach chi? _____
7. Fyddwch chi i mewn heno? _____
8. Fasech chi'n mynd ar wyliau i Sbaen, tasech chi'n medru? _____
9. Mae hi'n wyntog heddiw. _____
10. Mae llawer o goffi yn y cwpwrdd. _____

Ymarfer 2

Cyfieithwch y brawddegau yma:

1. *I said you'd be late* _____
2. *I said you should come* _____
3. *What did you say?* _____
4. *I didn't see anything* _____
5. *I didn't see the car* _____
6. *I'd be delighted* _____
7. *She'd be in her element* _____
8. *We were there for two days* _____

Ymarfer 3

Llenwch y bylchau yn y brawddegau yma gan
ddefnyddio'r geiriau mewn cromfachau fel sbardun.

1. Mae Catrin yn _____ (hapus) na Lowri.

2. Maen nhw'n gweithio yno ers pum _____ (blwyddyn).

3. _____ (gwneud) nhw ddim byd dros y penwythnos.

4. Siôn ydy enw fy _____ (tad).

5. _____ nhw yn yr ysgol yfory?

6. Edrychwch _____ (ar) nhw!

7. Yng Nghaerdydd mae Stadiwm y Mileniwm? _____ (✓).

8. _____ hi ddim yn braf ddoe.

9. _____ (troi) i'r dde ar ôl yr ysbyty!

10. _____ chi weld y ffilm neithiwr?

Ymarfer 4

Ysgrifennwch nodyn at eich tiwtor yn gofyn iddo/iddi ddŵad i barti wedi ei drefnu gan
y dosbarth. Yn y nodyn, dwedwch lle a phryd bydd y parti, a be' fydd yn digwydd.

*Write a note to your tutor asking him/her to come to a party organised by the class. In the
note, say where and when the party will be, and what will happen.*

_____

_____

_____

_____

_____

_____

_____

_____

Pecyn Ymarfer – Cwrs Sylfaen: Uned 29

Pecyn Ymarfer
Cwrs Sylfaen: Uned 30

Ymarfer 1

Darllenwch y darn yma:

Archentwr yn mynd adre

(addasiad o erthygl yn *Y Cymro*, Medi 2005)

Yr wythnos yma, bydd Archentwr 23 oed o Batagonia'n mynd yn ôl i Drevelin. Cyn dod i Gymru, roedd ei Saesneg o'n well na'i Gymraeg. Ar ôl pum mis yn Llanuwchllyn, mae o'n rhugl yn Gymraeg a'i Saesneg o'n waeth nag erioed!

Mi ddechreuodd ei amser yma mewn cell ym maes awyr Heathrow. 'Mi ddes i draw i weithio yn Ascot,' meddai Alejandro Jones, 'ond ges i fy nhrin yn ofnadwy. Mi fues i yn y carchar am bedair awr. Mi dorron nhw fy ngitâr i, a ges i ddim ymddiheuriad.' Aeth pethau o ddrwg i waeth, achos doedd dim swydd iddo, ar ôl cyrraedd Ascot, a doedd dim llawer o arian ar ôl. Felly, ffoniodd o ei fam yn yr Ariannin, a dwedodd hi wrtho am fynd at y teulu yn Llanuwchllyn.' Dyna'r tro cynta iddo fo ddod i Gymru.

Cafodd Alejandro groeso mawr yn Llanuwchllyn. Cafodd o waith ar ffermydd Bryn Llech a Bryn Gwyn, ond roedd y ffordd o ffermio a'r ffordd o fyw yn wahanol iawn. 'Mae'r ffermydd yn llai a'r tir yn wlypach,' meddai. Mae fferm gan Alejandro hefyd yn yr Ariannin. 'Mae fy fferm i ym Mhatagonia yn fwy ac yn mynd yn ôl i amser y Cymry cyntaf. Mae llawer o'r ffermydd eraill wedi cael eu gwerthu i bobl gyfoethog o Ogledd America. Faswn i byth yn gwerthu'r fferm sy gen i.'

Mae Alejandro wrth ei fodd yn canu, ac yn Llanuwchllyn ymunodd o â dau gôr. Dydy o ddim yn darllen cerddoriaeth ond mae gynno fo glust dda. Roedd y ddau gôr wedi cynnal noson i ffarwelio â fo ac i godi arian i dalu am ei docyn i hedfan adre.

Geirfa

Archentwr	- *Argentinian*
cafodd	- *gaeth*
carchar	- *prison*
cell(oedd) (b)	- *cell(s)*
cerddoriaeth (b)	- *music*
cynnal	- *to hold*
dod = dŵad	- *to come*
ffarwelio â/ag	- *to say goodbye to*
gitâr	- *guitar*
hedfan	- *to fly*
maes awyr	- *airport*
trin	- *to treat*
ymddiheuriad	- *apology*
ymuno	- *to join*
Yr Ariannin	- *Argentina*

Ysgrifennwch wyth cwestiwn y gallech chi eu gofyn i Alejandro,
ar sail yr erthygl yma. Ysgrifennwch y cwestiynau a'r atebion, e.e.
Write eight questions you could ask Alejandro, on the basis
of this article. Write the questions and answers, e.g.

A.   Be' ydy'ch enw chi?

B.   Alejandro Jones dw i.

1   **A.** _____

     B. _____

2   **A.** _____

     B. _____

3   **A.** _____

     B. _____

4   **A.** _____

     B. _____

5   **A.** _____

     B. _____

6   **A.** _____

     B. _____

7   **A.** _____

     B. _____

8   **A.** _____

     B. _____